ZAK ZOO

y el

LÍO EN EL COLEGIO

Bruño

Para Pandora.
J.S.

Para mamá y papá.
C.E.

Título original: *Zak Zoo and the School Hullabaloo,*
publicado por primera vez en el Reino Unido por Orchard Books,
una división de Hachette Children's Books
Texto: © Justine Smith, 2012
Ilustraciones: © Clare Elsom, 2012

© Grupo Editorial Bruño, S. L., 2013
Juan Ignacio Luca de Tena, 15; 28027 Madrid
Dirección Editorial: Isabel Carril
Coordinación Editorial: Begoña Lozano
Edición: Cristina González
Preimpresión: Equipo Bruño

Traducción: © Eva Girona, 2013

ISBN: 978-84-216-9980-5
D. legal: M-10999-2013

www.brunolibros.es

y el

LÍO EN EL COLEGIO

Justine Smith • Clare Elsom

Bruño

Zak Zoo vive en el n.º 1 de la avenida de África. Sus padres están de expedición en la selva, así que su familia animal es la que cuida de él, aunque a veces las cosas se ponen un poco . . . ¡BESTIAS!

El lunes, Zak Zoo se levantó temprano.
Saltó de la cama y se fue a despertar
a su familia animal.

A la familia de Zak le gustaba dormir en sitios originales: Emi, en el armario, y Pamela, en el cajón de los calcetines.

A Iván le gustaba dormir sobre
el radiador, bien calentito.
—¡Buenos días! ¡Todos arriba!
—les gritó Zak.

A Zak le encantaban los desayunos «especiales» de la tata Hilda. Esta vez había preparado huevos de flamenco con hormigas crujientes.

En casa de Zak, ¡las comidas eran MUY RUIDOSAS!

—¡Tengo que irme al colegio ya! —tuvo que gritar Zak para que todos le oyeran.

Cuando Zak cogió su cartera del cole, pesaba un montón. ¡Y es que Ping estaba escondido dentro!

—Lo siento, no puedes venirte —le dijo Zak—. Los animales no van al colegio.

Y Ping salió de mala gana de la cartera.
Ya en la calle, Zak le dio su cartera
a Emi, se subió a su lomo y los dos
se dirigieron al colegio.

Zak se pasó por casa de Mia...
¡y no se dio cuenta de que algunos
miembros de su familia le estaban
siguiendo!

12

Mia acompañó a clase a Zak.
En la puerta del colegio, Zak y Mia
bajaron del lomo de Emi, se fueron
a clase… ¡y no vieron que Iván,
Pamela y Emi entraban detrás de ellos!

Aquel día, Zak tenía una nueva profesora: la señorita Carla.

—Cuéntanos algo sobre ti, Zak —le pidió la maestra.

Pero a Zak no se le ocurría qué contar.

—No te preocupes —le dijo la señorita Carla.

Entonces, Teodora salió de la tartera
de Zak…

—¡Ahhh, una araña! —gritó
la profesora.

—Sí, me gustan las tarántulas
—le dijo Zak—. ¿Ves? ¡Ya he contado
algo sobre mí!

La señorita Carla empezó a dar clase
de Lengua, y Zak dejó a Teodora
en el suelo. Entonces apareció Petra
con una carta pinchada en las púas.
A la señorita Carla no le hizo mucha
gracia aquello, pero Zak sonrió.

La profesora dejó que Zak leyera
la carta a toda la clase.

Querido Zak:

Hemos descubierto un nuevo insecto
con manchas. Es así:

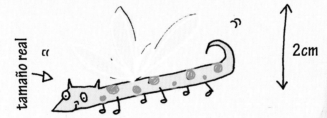

2cm

Te quieren, mamá y papá

P. D.: Obedece a la tata Hilda
y cámbiate de calcetines
todos los días.

—Sacad los libros de lectura —dijo
a continuación la señorita Carla.
Dora, la compañera de Zak, abrió
su pupitre para sacar el libro…
—¡Una sssserpiente! —chilló.
Todos se subieron de un salto a sus sillas.

—¿Es una serpiente de verdad?
—gimió la señorita Carla.
—Sí —respondió Zak—. Es Pamela,
una serpiente pitón.
Y Pamela le dio un abrazo a Zak.

La profesora ya no aguantaba más.

—Necesito sentarme —dijo.

De repente, Mia vio que Iván estaba
en la silla de la señorita Carla…

Mia corrió a atrapar a Iván,
pero lo único que atrapó fue la silla.

La silla se tambaleó, la profesora
se cayó, Iván salió por los aires…
¡y aterrizó sobre la señorita Carla!

—¡Iván! ¡Qué sorpresa! —sonrió Zak.

—Hola, Iván —dijo Mia, e Iván le dio un abrazo.

¡Y la señorita Carla se subió a su mesa de un salto!

¡Hola, soy una iguana!

La mesa se tambaleó y unos tubos
de ensayo cayeron al suelo.
¡PUMMM!, explotaron, y se levantó
una nube de humo.
—¡Fuegoooo! —gritó la profesora.

¡RINGGGGGGGGGG!, sonó la alarma
de incendios. De repente, Emi apareció
en la ventana, metió la trompa en el
lavabo, roció el fuego con agua…

... y también remojó la clase
entera para que no se quemara.
¡Todos acabaron hechos
una auténtica sopa!

La señorita Carla miró a Zak, y luego
a Emi.

—Esta es Emi. Es una elefanta,
¿sabes? —le explicó Zak.

—Emi es más que una elefanta…
—dijo la profesora—. ¡Es una heroína!
¡Nos ha salvado!
Todos aplaudieron, y la señorita Carla
le dio una medalla a Emi.

Después del colegio, Mia fue
a merendar a casa de Zak.

—¡Ñammm! —se relamió Zak—.
¡Me encantan las larvas asadas
con saltamontes!

—Están muy ricas —dijo educadamente
Mia, y le pasó su plato a Gabi.

Después, Mia volvió a su casa,
Zak se puso a hacer los deberes
y los demás le ayudaron.

Los deberes consistían en escribir
una carta.
—¡Ya sé lo que voy a escribir!
—exclamó Zak.

Queridos papá y mamá:

*Hoy he tenido un día genial
en el cole. Ha sido la bomba...
¡y tuvimos visita!*

Besos, Zak

*P. D.: Tranquilos,
me cambié de calcetines
la semana pasada.*

Títulos de la colección

www.brunolibros.es